CH00685027

Dafydd Whiteside Thomas

Chwedlau a Choelion
Godre'r Wyddfa

Gwasg
Gwynedd

Argraffiad Cyntaf — Tachwedd 1998

© Dafydd Whiteside Thomas 1998
© Lluniau: Islwyn Williams 1998

ISBN 0 86074 155 9

Llun y clawr gan yr awdur: Cwm Dwythwch.

*Cyhoeddwyd ac Argraffwyd
gan Wasg Gwynedd, Caernarfon*

CYFLWYNEDIG I
EIRIANWEN

Cynnwys

Diolch

Gwobrwywyd y llyfr hwn yn Eisteddfod Genedlaethol Bro Dinefwr, 1996 pryd y gofynnwyd am 'Gasgliad o hanesion unrhyw fro ar un thema'. Ar gyfer ei gyhoeddi darparodd Islwyn Williams ddarluniau gwreiddiol sy'n cyfoethogi'r llyfr yn arw. Rwy'n ddiolchgar iawn iddo am ei lafur.

Tachwedd 1998   DAFYDD WHITESIDE THOMAS

Cyflwyniad

'Y mae chwedl yn fwy gwerthfawr na chyfoeth y byd.'
(Hen ddihareb Wyddelig)

Y mae i bob ardal ei chwedlau a'i straeon — am Dylwyth Teg a chewri, am wrachod a gwŷr hysbys, ac am safleoedd a llecynnau arbennig.

Ymgais sydd yma i gofnodi'r chwedlau a'r coelion hynny sy'n gysylltiedig â Bro Peris, sef cymunedau neu blwyfi Betws Garmon, Llanberis, Llanddeiniolen, Llanrug a Waunfawr. Mae'r ardal yn cyfateb fwy neu lai i ddalgylch y papur bro *Eco'r Wyddfa*. Er hynny, ni cheisiais gyfyngu'r casgliad o fewn ffiniau daearyddol na gweinyddol y cymunedau hynny, ac y mae ambell chwedl yn mynnu ei lle er nad yw'n hollol o fewn y ffiniau hyn.

Mae nifer o'r chwedlau yn bur adnabyddus ac wedi eu cofnodi mewn amryw lyfrau eisoes, ond penderfynais eu cynnwys er mwyn ceisio ffurfio casgliad cyflawn o chwedlau a choelion y fro mewn un gyfrol.

Cynhwysir nifer o fapiau a fydd, gobeithio, o gymorth i leoli rhai o'r chwedlau a'r safleoedd y sonnir amdanynt.

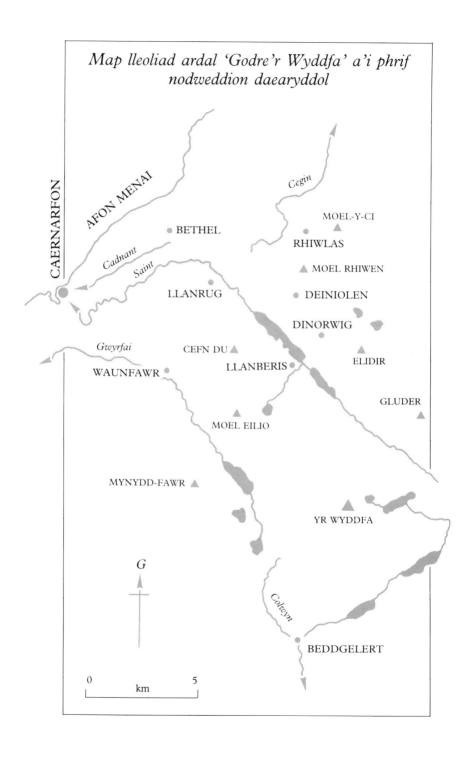

Map lleoliad ardal 'Godre'r Wyddfa' a'i phrif nodweddion daearyddol

Y Tylwyth Teg

Mae pawb, yn eu plentyndod, wedi byw ar gyrion Gwlad y Tylwyth Teg. Ond mae Gwlad y Tylwyth Teg yn bod, sef yr ardal honno o Gwm Dwythwch dros lethrau Moel Eilio, ac o Fetws Garmon heibio i lynnoedd Cwellyn a'r Gader, a thrwy ddyffryn Colwyn draw tua Beddgelert. Ar weirgloddiau'r dyffryn, ar weunydd yr ucheldir, ar y llethrau ac yn yr ogofâu a'r cilfachau yn y mynyddoedd o amgylch yr oedd — ac y mae o hyd — y Tylwyth Teg yn byw.

Pwy yw'r bobl bach hyn sy'n prysur ddiflannu o'r tir? Maent yn bod ym mhob gwlad a'r chwedlau amdanynt yn frith ym mhob iaith. Yng Nghymru fe'u gelwir yn Fendith y Mamau, yn Blant Rhys Ddwfn neu'n Blant Annwfn; ac y mae'r cyfeiriadau tuag atynt yn britho'n llenyddiaeth o Chwedlau'r Mabinogi hyd heddiw.

Cynigiodd rhai ysgolheigion esboniad anthropolegol dros fodolaeth y Tylwyth Teg. Un o'r rhain oedd Syr John Rhŷs, awdur *Celtic Folklore: Welsh and Manx* (1901). Dadleuai'r garfan hon o ysgolheigion mai hen, hen gof gwerin am bobl fychan o gorffolaeth o'r cyfnod cyn-Neolithig yw'r hanesion am y Tylwyth Teg. Roedd y bobl hyn yn byw mewn ogofâu neu gytiau crynion o gerrig ar yr ucheldiroedd; neu ar lynnoedd mewn crannog, math o bentref ar byst wedi eu curo i wely'r llyn. Roeddent yn dueddol o gadw i'r tiroedd uchel er mwyn osgoi'r trigolion cryfach a ymfudodd i'r dyffryndiroedd. Mae hyn o bosibl yn esbonio pam mae'r rhan fwyaf o chwedlau am y Tylwyth Teg wedi eu lleoli ar ucheldiroedd.

Roedd gan y goresgynwyr newydd arfau o haearn a gall hyn egluro pam mae llawer o'r chwedlau yn cynnwys elfen o ofni metel. Mae'n bosibl bod dull y newydd-ddyfodiaid o grasu bara yn wahanol hefyd ac mewn ambell chwedl ceir cyfeiriad at fwyta bara sy'n rhy gras neu'n rhy sych.

Yn raddol, dros y canrifoedd, dirywiodd y bobl gyntefig er bod olion o'u bodolaeth i'w cael yn hanesion y priodasau cymysg, y cyfnewid babanod a'r benthyca offer oddi ar y goresgynwyr.

Cred eraill mai cof gwerin sydd yma am hen dduwiau a duwiesau paganaidd. Mae dŵr, yn enwedig llynnoedd, yn rhan bwysig mewn llawer chwedl yn ymwneud â'r Tylwyth Teg. Credai'r Celtiaid mewn duwiesau a drigai mewn llynnoedd ac y mae sawl fersiwn o chwedl Llyn y Fan, lle mae merched hardd yn codi allan o lynnoedd i gyfarfod â meibion meidrol.

Crefydd mae'n debyg fu prif elyn chwedlau'r Tylwyth, ac yn sgîl diwygiadau Methodistaidd, dechreuwyd edrych ar ofergoeledd o'r fath fel peth pechadurus. Nid rhyfedd felly i wahanol awduron ddatgan fod y Tylwyth Teg ar ddarfod o'r tir. William Williams (y gof), awdur *Hynafiaethau a Thraddodiadau Plwyf Llanberis a'r Amgylchoedd* (1892), oedd un o'r awuron hynny, '. . . ni pherthyn i ni geisio dehongli chwedleuon y Tylwyth Teg, y rhai a ymadawsant â Chymru oddeutu triugain a mwy o flynyddoedd yn ôl.'

Ond mae'r chwedlau'n dal yn fyw a'r cof amdanynt yn parhau . . .

Anrhegu Meidrolion

Byddai'r Tylwyth Teg weithiau'n talu am gymwynas drwy adael arian mewn lle arbennig i'r cymwynaswr. Dro arall roeddent yn rhoi anrheg arbennig yn hytrach nag arian. Ond gwae'r person a gamddefnyddiai yr arian neu'r rhodd: byddai'r arian yn darfod neu lwyddiant yn troi'n fethiant llwyr.

Un tro ar lannau Llyn Glaslyn, yn agos i gopa'r Wyddfa, daeth un o fugeiliaid Eryri ar draws un o ferched y Tylwyth Teg. Gyda'r ferch roedd nifer o blant bychan a'r cyfan wedi eu gwisgo mewn carpiau a golwg dlodaidd a diymgeledd iawn arnynt. Rhoddodd y bugail ei becyn bwyd iddynt a diosg ei gôt a'i grys a'u rhoi iddynt yn anrhegion. Diolchodd y Dylwythen Deg iddo am ei garedigrwydd a diflannu gyda'i theulu i greigiau'r mynydd.

Y noson honno darganfu'r bugail arian yn ei glocsen. Digwyddodd hynny yn rheolaidd bob nos yn dilyn ei gyfarfyddiad â'r Tylwyth Teg. Tâl am ei garedigrwydd i un o aelodau'r Tylwyth Teg oedd yr arian ac, yn ôl traddodiad yn ardal Nant Gwynant, fe ddefnyddiodd y bugail yr arian i sefydlu fferm Hafod Lwyfog.

'Gwlad y Tylwyth Teg'

Ni fu bugail arall o'r un ardal mor ffodus. Yn uchel ar lethrau'r Wyddfa daeth bugail Cwm Llan o hyd i un arall o ferched y Tylwyth Teg. Roedd y greadures fechan wedi llithro a'i chael ei hun yn sownd mewn hafn gul rhwng y creigiau. Gydag ymdrech, llwyddodd y bugail i'w rhyddhau ac yn wobr am ei garedigrwydd cafodd rodd o ffon newydd. Ond nid ffon gyffredin mohoni. O'r diwrnod y derbyniodd y ffon cafodd pob dafad o'i eiddo ddau oen benyw bob blwyddyn. Cynyddodd ei stoc a daeth y bugail yn ŵr cefnog iawn.

Yn ôl arfer yr oes byddai'r bugail yn ymwelydd rheolaidd â Ffair Beddgelert ond, yn anffodus, aeth i feddwi'n ormodol yn y gyfeddach y noson honno a gyda chryn drafferth y cychwynnodd ar ei daith yn ôl i Gwm Llan. Roedd wedi bod yn glawio'n drwm yn ystod yr wythnos honno a'r afonydd yn llifo'n chwyrn i lawr y llethrau. Wrth i'r bugail meddw geisio croesi afon Cwm Llan cipiwyd ei ffon gan y llifeiriant a'i chario gyda'r dyfroedd. Er iddo geisio darganfod y ffon werthfawr methiant fu pob ymdrech.

Drannoeth, darganfu'r bugail anffodus fod ei holl ddefaid wedi mynd i ganlyn y ffon ac wedi boddi yn y llifogydd.

Uwchben Nant Gwynant y daeth y ddau fugail ar draws aelodau o'r Tylwyth mewn helbulon ond ar ochr ogleddol yr Wyddfa, ac uwchben dyffryn Nantperis, y mae'r hanesyn olaf am feidrolion yn cael eu hanrhegu gan y Tylwyth Teg.

Adroddwyd yr hanes gan Thomas Davies wrth Syr John Rhŷs (*Celtic Folklore*). Mynnai fod ei fam, a fu farw yn 1832, yn cydoesi â merch a fagwyd yn y Cwmglas a bod honno pan oedd yn eneth ieuanc yn derbyn anrhegion yn rheolaidd gan y Tylwyth Teg. Byddai'r ferch fach ar foreau niwlog yn anelu am Gwm Cwmglas ac yno, mewn lle arbennig, yn gosod llond dysgl o lefrith ffres ar gadach glân. Pan ddeuai'n ôl yno'n ddiweddarach byddai'r ddysgl yn wag ond roedd darn o arian wedi ei roi yn dâl am y llefrith ac wedi ei osod ar garreg wrth ymyl.

Trysor y Tylwyth Teg

Mae'r chwedlau am drysor y Tylwyth Teg, neu roddion gan y Tylwyth, yn niferus ledled Ewrop. Credai rhai fod ganddynt eu harian eu hunain ond, yn aml, arian meidrolion a ddefnyddid ganddynt. Mae'n ddiddorol nodi fod rhai pobl yn galw arian Gwyddelig yn 'arian y Tylwyth Teg'; efallai oherwydd bod llun telyn arnynt.

Elfen gyffredin i'r chwedlau hyn am roddion o arian i feidrolion yw'r ffaith fod y rhoddion yn darfod neu'r trysor yn diflannu unwaith y byddai'r derbynnydd yn adrodd yr hanes wrth rywun arall. Mewn nifer o'r chwedlau mae'r arian a roddwyd yn troi'n ôl i'w ffurf wreiddiol — cregyn fel arfer. Yn wir, anaml iawn y byddai'r trysor yn cael ei hawlio ac y mae'r mwyafrif o'r chwedlau yn adrodd sut y bu i feidrolion golli neu fethu ag ailddarganfod y stôr werthfawr.

Wrth gwrs, mae'n bosibl fod rhai pobl wedi elwa ar ddarganfod trysor y Tylwyth ond iddynt fod yn ddigon hirben i beidio ag adrodd yr hanes wrth un dyn byw!

Yr angen am gymorth i gyrraedd y trysor sy'n achosi i'r darganfyddwr ailadrodd yr hanes yn aml. Dyna ddigwyddodd i wraig o gyffiniau Dyffryn Nantlle un tro.

Roedd hi'n croesi ar draws y Mynyddfawr i gartref cyfoedion yn Nant y Betws a thra'n dilyn y llwybr caregog heibio clogwyni serth Castell Cidwm, uwchben Llyn Cwellyn, sylwodd ar rywbeth yn sgleinio'n llachar rhwng y creigiau. Gan adael y llwybr ac ymbalfalu rhwng y meini a'r cerrig anferth gwelodd

mai stôr o aur oedd yno wedi ei guddio mewn hollt ddofn. Ni allai'r wraig druan ymestyn i mewn i'r hollt na dringo i lawr iddi ac felly gwnaeth dwr o gerrig i nodi'r fan lle roedd y trysor.

Brysiodd ymlaen i Nant y Betws ac adrodd hanes ei darganfyddiad i'w chyfeillion. Trefnwyd i griw o'r cymdogion deithio'n ôl gyda hi i greigiau Castell Cidwm, ond er chwilio'n ddyfal doedd dim golwg o'r twr cerrig a adawodd y wraig i nodi safle'r trysor. Methiant hefyd fu pob ymgais i ddod o hyd i'r hollt ddofn ac ni welodd yr un o'r fintai unrhyw beth yn sgleinio rhwng y creigiau. Ond mae'n siŵr fod y trysor yno heddiw.

Yr un fu hanes geneth ifanc o bentref Rhiwlas a ddarganfu gadair aur ar lethrau Moelyci. Roedd y gadair yn llawer rhy drwm iddi i'w symud a gwyddai fod yn rhaid iddi chwilio am gymorth. Unwaith eto, y broblem oedd cofio hollol leoliad y trysor. Gan ei bod yn gwau ar y pryd penderfynodd glymu un pen i'w hedafedd am goes y gadair a chychwyn am adref gan ddatod gweddill ei gwau wrth fynd.

Yn anffodus, hyd yn oed ar ôl datod ei holl wau, roedd yr edafedd yn rhy fyr. Roedd hi erbyn hyn bron o fewn tafliad carreg i'w chartref. Bu'n galw a galw am gymorth rhag gollwng gafael yn yr edafedd ond doedd neb yn ei chlywed. Penderfynodd mai ei hunig ddewis oedd clymu pen arall yr edafedd am garreg drom a rhedeg i'w chartref i nôl ei thad.

Brysiodd y ddau yn ôl at y garreg ond, er dilyn yr edafedd yr holl ffordd i fyny'r llethrau, roedd y gadair aur wedi diflannu ac ofer fu ymdrechion y ferch a'i thad i'w darganfod.

Troedio Tir y Tylwyth

Cyffredin iawn yw'r hanesion am feidrolion yn ymweld â Gwlad y Tylwyth Teg ac mae'r rhan fwyaf ohonynt yn ymwneud â rhyw elfen o golli synnwyr amser neu bellter. Yn aml iawn hefyd cysylltir yr ymweliadau â mynediad trwy ddŵr — llyn fel arfer. Yn yr un cyswllt, cyffredin yw'r hanesion am weld y Tylwyth Teg yn troedio wyneb llyn ac am ferched hardd a lluniaidd yn dod o'r dyfroedd. Mae'n debyg mai Chwedl Llyn y Fan yw'r enwocaf ond mae rhai chwedlau tebyg yn perthyn i Eryri hefyd.

Dull arall o ymweld â Gwlad y Tylwyth Teg oedd i feidrolyn gael ei ddenu i gylch dawns y bobl bach. Roedd cerddoriaeth a dawnsio'r Tylwyth yn arbennig o hudolus ac anodd iawn oedd gwrthsefyll y demtasiwn i ymuno â hwy. I'r meidrolyn druan a gâi ei ddenu i'r cylch dawns, tybiai mai am gyfnod byr yn unig y byddai'n dawnsio, ond ehedai amser fel y gwynt ac ar ddiwedd y ddawns darganfyddai'r dawnsiwr blinedig ei fod wedi treulio oriau meithion yng Ngwlad y Tylwyth.

Am flynyddoedd, dywedir fod trigolion Gwaun Cwm Brwynog, uwchben Llanberis, yn siarsio eu plant i gadw'n glir o lannau Llyn Dwythwch ar dywydd niwlog. Dyna pryd, yn ôl traddodiad, y byddai'r Tylwyth Teg yn codi o'r llyn ac yn cipio plant meidrol. Roedd cipio a chyfnewid plant meidrolion am blant y Tylwyth Teg yn hanes cyffredin iawn a chredid fod plant heb eu bedyddio mewn mwy o berygl na neb. Un dull o atal y cipio oedd gosod haearn wrth droed y crud neu osod croes o bren criafol gerllaw.

Ym mlaen eithaf Cwm Brwynog saif craig anferth o'r enw Maen Du'r Arddu. Dyma gyrchfan boblogaidd iawn i'r Tylwyth Teg ar un amser a dywedir eu bod i'w gweld yn aml yn dawnsio o amgylch y maen. Un tro, cafodd mab yr Helfa Fain, Llanberis ei hudo i'w cylch dawnsio. Bu allan gydol y nos ac nid oedd sôn amdano drannoeth. Pan aeth ei gyfeillion i chwilio amdano yn ddiweddarach yn y dydd fe'i cawsant yn hanner marw wrth droed Maen Du'r Arddu. Yn ôl pob sôn bu yn ei wely am dridiau wedi'r profiad ond gwrthododd yn bendant â dweud dim am yr hyn a ddigwyddodd iddo yn ystod y ddawns.

Mae stori debyg am ffermwr o Gaeau Gwynion, Betws Garmon yn cael dihangfa gyffelyb o gylch dawns.

Ni fu mab Llwyn Onn o'r un plwyf mor ffodus. Dywedir ei fod ar ei ffordd i weld ei gariad yng Nghlogwyn y Gwin, Rhyd-ddu un noson. Wrth groesi'r dolydd ar lannau Llyn Cwellyn cafodd ei swyno gan gerddoriaeth hudolus a'i ddenu i gylch dawns y Tylwyth Teg. Credai iddo fod yn dawnsio am noson gyfan â hwy ond, pan gofiodd wir bwrpas ei siwrnai, penderfynodd ymadael.

Cafodd sioc o ddarganfod iddo fod yng Ngwlad y Tylwyth Teg am saith mlynedd. Roedd ei rieni wedi marw a'i frodyr yn methu'n lân â'i adnabod. Ond yn waeth na hynny roedd ei gariad wedi priodi rhywun arall ac wedi dechrau magu teulu. Yn ôl yr hanes, bu yntau farw o dorcalon ymhen wythnos ar ôl dychwelyd.

Mae cyfeiriadau hefyd at ddawnsfeydd y Tylwyth Teg yn cael eu gweld ar y Garreg Lefain ar lethrau'r Cefn Du uwchben y Ceunant. Ac yn ôl traddodiad, ar lethrau'r Cefn Du, mewn llecyn o'r enw Creigiau Padell y Brain, uwchlaw pentref Waunfawr, mae cartref y Tylwyth Teg. Mae'r cerrig hyn hefyd yn fan lle gwelwyd y bobl bach yn dawnsio.

Priodi â Merch o'r Tylwyth

Mae chwedlau am feidrolion yn priodi merched y Tylwyth Teg i'w cael ledled Cymru. Yr un yw'r patrwm yn y rhan fwyaf o'r chwedlau. Mae'r mab yn syrthio mewn cariad ac yn perswadio'r ferch i'w briodi. Ond mae amod i'r briodas: ni chaiff y gŵr daro ei wraig â haearn. Fel arfer mae llwyddiant i'r briodas a ffyniant i'r fferm, ond yr un yw'r diweddglo bob tro. Yn fwriadol neu'n ddamweiniol mae'r gŵr yn taro'i wraig â haearn ac mae hithau'n diflannu'n ôl i'w gwlad ei hun.

Cysylltir y stori hon â nifer o ffermydd yn ardal Betws Garmon a Rhyd-ddu gan gynnwys Llwyn y Forwyn, Bron y Fedw, Yr Ystrad, Llwyn Onn a Chlogwyn y Gwin. Daw merch y Tylwyth Teg yn y chwedlau hyn naill ai o Lyn y Dywarchen neu o Lyn Dwythwch. Mewn un fersiwn gwelwyd y Dylwythes yn wylo ar lannau Afon Gwyrfai. Yn y chwedlau hyn mae enw'r Dylwythes naill ai'n Bela neu Penelope ac mae disgynyddion y 'priodasau cymysg' hyn fel arfer yn cael eu hadnabod fel teuluoedd y 'Bellisiaid' neu'r 'Pellings'.

Cofnodwyd y chwedl am fab Yr Ystrad, Betws Garmon a'r Dylwythes o Gwm Dwythwch, Llanberis gan William Williams yn *Hynafiaethau a Thraddodiadau Plwyf Llanberis a'r Amgylchoedd* (1892).

Un diwrnod tra'n bugeilio'r defaid ar lethrau Moel Eilio cyfarfu mab Yr Ystrad â geneth dlos ryfeddol. Wedi dychwelyd adref, adroddodd iddo weld y ferch brydferthaf erioed a'i fod wedi disgyn dros ei ben a'i glustiau mewn cariad â hi. O fewn ychydig ddyddiau gwelodd hi eto ac felly y bu am nifer o wythnosau. Anogwyd ef gan ei dad i'w dal a dod â hi adref i'r Ystrad.

Rai dyddiau'n ddiweddarach gwelodd y llanc griw o Dylwyth Teg yn dawnsio yng Nghwm Dwythwch a'r ferch ifanc a geisiai yn eu plith. Rhuthrodd i'r cylch dawns a chipio'r ferch. Ar amrantiad, diflannodd y gweddill. Cariodd hi adref i'r Ystrad ac ymddwyn yn garedig tuag ati ond yn ei fyw nis gallai ddarganfod ei henw er crefu arni i'w ddatgelu.

Ymhen amser digwyddai'r llanc ifanc fod unwaith eto yng nghyffiniau Llyn Dwythwch a gwelodd lu o Dylwyth Teg yno. Cuddiodd o'u golwg a gwrando ar eu sgwrs. Clywodd un ohonynt yn dweud, 'Y tro diwethaf i ni gyfarfod yma roedd ein chwaer, Penelope, gyda ni ac fe'i cipiwyd gan un o'r meidrolion'. Roedd wedi darganfod ei henw o'r diwedd. Brysiodd yn ôl i'r Ystrad gan alw ar y ferch wrth ei henw. Gallai'n awr gynnig ei phriodi a chydsyniodd hithau ar yr amod nad oedd ar unrhyw achlysur i gyffwrdd ei chroen â haearn. Unwyd y ddau mewn priodas a buont fyw'n ddedwydd am flynyddoedd gan fagu dau o blant, mab a merch.

Ffynnodd y fferm a gallodd y ffermwr ychwanegu at ei diroedd. Yn ychwanegol at dir Yr Ystrad roedd bellach yn hawlio llethrau Moel Eilio a rhannau helaeth o Waun Cwm Brwynog — dros 5,000 o aceri yn ôl traddodiad.

Cwm Dwythwch — lle cyfarfu
mab yr Ystrad â Penelope.

Un diwrnod, a'r gŵr yn dal ceffyl gyda ffrwyn, gwylltiodd y march a thrawyd Penelope gyda'r offer haearn. Diflannodd hithau o'i olwg ac ni welodd mohoni byth mwy. Ond deuai'n ôl yn achlysurol i weld ei phlant. Ar un achlysur clywodd lais Penelope yn canu wrth un o ffenestri ei chartref meidrol a hynny'n dymuno ar iddo gymryd gofal o'r plant. Dywedir mai'r pennill hwn a ganodd:

> Rhag fod annwyd ar fy mab
> Rhoddwch arno gôb ei dad;
> Rhag bod annwyd ar liw'r cann
> Rhowch amdani bais ei mam.

Mae disgynyddion y briodas hon rhwng mab Yr Ystrad a Penelope yn niferus iawn yn ardal Betws Garmon ac fe'u hadnabyddir i gyd wrth yr enw 'teulu'r Pellings'. Er hynny, ychydig iawn oedd yn fodlon cydnabod eu bod yn perthyn i deulu o 'waed cymysg' a byddai cyhuddo pobl o berthynas o'r fath yn arwain yn aml i ymladdfeydd gwaedlyd mewn ffeiriau yn Arfon.

Un o'r ychydig rai oedd yn ymfalchïo yn ei dras 'arallfydol' oedd William Williams, Llandygái, awdur y llyfr *Observations on the Snowdon Mountains* (1802). Honnai ei fod yn un o ddisgynyddion Penelope a mab Yr Ystrad ac yn aelod o lwyth y 'Pellings'.

Y Tylwyth Tanddaearol

Mae'r Tylwyth hwn, sydd y tu hwnt o gyfeillgar, yn byw yng nghrombil y ddaear. Yn wahanol i'r Tylwyth Teg sydd wedi diflannu o sŵn a dwndwr ardaloedd diwydiannol, mae'r Tylwyth Tanddaearol i'w cael mewn pyllau glo, gweithfeydd copr a phlwm, chwareli llechi neu unrhyw gloddfeydd eraill. Yr enw cyffredin arnynt yw Nocars neu'r Cnocwyr, Tylwyth hynod o ddiwyd sy'n gwybod am leoliad pob gwythïen werthfawr. Mae'n cael ei gyfrif yn hynod o lwcus i glywed y Nocars yn gweithio gan eu bod bob amser yn agos at wythïen werthfawr o fwyn. Mae'r Nocars weithiau yn rhybuddio rhag peryglon o dan y ddaear. Bryd hynny mae eu cnocio a'u morthwylio yn wyllt ac anghyson.

Ceir hanesion amdanynt yng ngweithfeydd copr llethrau'r Wyddfa a Chwm Dyli ac yn chwareli llechi Dinorwig. Roedd yn draddodiad gan rai gweithwyr i adael rhywfaint o fwyd ar ôl dan ddaear fel rhodd i'r Nocars am unrhyw gymorth.

Dau beth yn unig oedd yn eu gwylltio: chwibanu a rhegi. Os byddai unrhyw fwynwr neu chwarelwr yn gwneud hynny gallai'r Nocars wylltio'n gaclwm ac achosi i do'r siafft ddisgyn neu beri i rwb ddymchwel.

Anaml iawn y byddai meidrolion yn gweld Nocars ond dywedir eu bod yn gwisgo barclod ledr dros ddillad digon cyffredin.

Menyn y Tylwyth

Mewn llawer gwaith tanddaearol deuai'r mwynwyr ar draws math o olew seimlyd naturiol ym mhlygion y graig. Credent mai menyn y Tylwyth oedd hwn ac yn aml câi ei gasglu ganddynt oherwydd y gred ei fod yn dda at wella'r crydcymalau.

Cewri a Chawresau

Os oedd yr hen Gymry yn credu ym modolaeth pobl fychan fel y Tylwyth Teg roeddent hefyd yn mynnu fod hil o fodau anferthol eu maint wedi byw yma ganrifoedd lawer yn ôl. Ar wahân i'w maint yr hyn a wnâi'r hil hon yn wahanol i'r Tylwyth Teg oedd y ffaith eu bod wedi hen ddiflannu o'r tir, tra credid fod y Tylwyth Teg yn parhau i guddio mewn rhai llecynnau arbennig ledled y wlad. Wrth gwrs, mae'n haws i bobl fychan guddio o olwg Cymry heddiw nag i gewri'r gorffennol geisio gwneud hynny.

Mae'r mwyafrif o'r chwedlau a'r traddodiadau yn ymwneud â chewri wedi eu cysylltu â cherrig, meini neu greigiau anferth; a'r rheini, gan amlaf, ar gopaon neu ar lethrau'r mynyddoedd.

Yr Anghenfil Cynddyrus

Dyna sut y disgrifir Cidwm, cawr a drigai mewn ogof ar glogwyn serth uwchben Llyn Cwellyn ac ar dalcen gogleddol y Mynyddfawr. Castell Cidwm yw'r enw ar y clogwyn erbyn heddiw.

Ysgrifennwyd ei hanes gan y naturiaethwr Edward Lhuyd yn 1693. Fe'i cyhoeddwyd yn ddiweddarach yn y *Cambrian Journal* (1859) ac y mae Glasynys hefyd yn adrodd yr hanes yn *Cymru Fu* (1862). Cyfeirir at y chwedl gan Salmon Llwyd mewn cyfres o erthyglau ('O Gopa Moel Tryfan') yn *Yr Herald Cymraeg* (1855).

Dywedir fod Cidwm wedi lladd mab Elan Lueddog drwy ei saethu o'i ogof a bod corff y truan hwnnw wedi'i gladdu rywle ar lannau Llyn Cwellyn. Edward Lhuyd sy'n disgrifio Cidwm fel cawr neu 'anghenfil cynddyrus'. Yn ôl yr hen chwedlau dywedir mai gwraig Macsen Wledig oedd Elan a bod iddi dri o feibion. Cysylltir ei henw â'r ffyrdd neu'r llwybrau sy'n croesi ucheldiroedd Cymru ac a elwir yn Sarn Helen.

23

Edward Lhuyd

Fel hyn y mae Edward Lhuyd yn adrodd yr hanes: 'Elan a ddaeth o Gonwy i Nant Tal y Llyn, lle lladdodd Cidwm Gawr o'i gastell â saeth, ei mab hi. Mae tŷ lle y claddwyd ef ag a elwir Tŷ yn Medd y Mab, ac Ysgubor Ifan'.

Mae Glasynys, ganrif a hanner yn ddiweddarach, yn adrodd nad oes hanes, 'na thŷ na thwlc yn agos i'r fan', ond mai 'Gweirglodd Bedd y Mab' oedd yr enw ar y lle. Yn ôl Glasynys, ar dir fferm Caeau Gwynion, Betws Garmon y mae'r bedd ac i gistfaen gael ei darganfod ym mhen gogledd-orllewinol Llyn Cwellyn a chael ynddi 'olosg a thipyn o esgyrn braenllyd'.

Gwyddfa Rhita Gawr

Yn ôl traddodiad, Moel yr Wyddfa yw'r garnedd sy'n nodi bedd Rhita Gawr. Cysylltir y cawr hwn â nifer o wahanol leoedd yng ngogledd Cymru — Eyri a rhannau o Feirionnydd yn fwyaf arbennig. Dywedir ei fod yn byw ar lannau Llyn Tegid a'i fod yn ddeg cufydd o uchder a thri chufydd o led. Roedd ei ddwylo mor fawr ag olwyn melin. Ei nodwedd amlycaf oedd y fantell a wisgai. Roedd wedi ei gwneud o farfau holl frenhinoedd gwledydd Prydain, y rhai a orchfygwyd mewn ymladdfeydd gan Rhita.

Hawliodd farf Arthur ei hun, oherwydd uchelgais Rhita oedd ei gosod mewn lle anrhydeddus ar ei fantell. Gwrthododd Arthur ei rhoi iddo ac fe'i heriwyd gan Rhita i ymladd am y farf.

Mae amryw fersiynau yn nodi lleoliad y frwydr fawr am farf y Brenin Arthur. Yn Rhiw y Barfau, ger Tywyn ym Meirionnydd y digwyddodd yn ôl un chwedl, ond lleolir y frwydr ar lethrau'r Wyddfa mewn chwedl arall. Yr un oedd y canlyniad: gorchfygwyd Rhita gan Arthur. Torrwyd ei ben i ffwrdd a'i gladdu dan garnedd o gerrig ar gopa mynydd.

Mae un fersiwn o'r chwedl yn gosod y pen ar gopa'r Aran, a'r llall ar gopa'r Wyddfa. Dywedir mai milwyr Arthur a gariodd ddigon o gerrig a meini i fyny'r Wyddfa i orchuddio pen Rhita a chreu'r garnedd greigiog a elwir yn Moel yr Wyddfa.

Igyn Gawr ac Ebediw

Yn ardal Llanberis yr oedd Igyn Gawr yn byw, ond ychydig iawn o hanes sydd amdano. Dywed traddodiad mai ef fu'n gyfrifol am gario'r cruglwyth o gerrig i ben y mynydd a elwir ar ei ôl — Carnedd Igyn.

Mae pentyrrau o gerrig yn gyffredin iawn ar gopaon nifer o fynyddoedd Eryri a dichon i lawer ohonynt gael eu priodoli i feddrodau hen gewri. Dyna, mae'n debyg, sydd wedi rhoi sail i'r gred fod cromlech ar gopa'r Gluder Fach. Rhywle yn y cyffiniau hefyd mae cawr arall o'r enw Ebediw wedi ei gladdu.

Sonia Gutyn Peris am garnedd o gerrig gwynion ar Ben Gorffwysfa; carnedd oedd yn weladwy o ddau ddyffryn — Nantperis a Nant Gwynant. Dywed Gutyn Peris: 'Gallai mai yno y mae bedd Ebediw; neu ynteu yn Llech y Gwŷr yng ngweirglodd Dyffryn Mymbyr'.

Cawres Peris

Nid dynion yn unig oedd o faintioli cewri yn ôl yr hen chwedlau. Roedd i'r merched hwythau eu hanferthedd. Un o'r rheini oedd cawres yn byw yn ardal Nantperis. Dywedir ei bod yn ymolchi'n ddyddiol yn nyfroedd Llyn Peris ac yn gosod ei thraed un o bobtu'r llyn cyn plygu i godi'r dŵr. Oherwydd ei harferiad o ymolchi yn yr union fan bob dydd, treuliodd ei thraed eu hôl yn y cerrig o'r naill du i'r llyn. Honnir y gellir eu gweld ar greigiau a elwir y Llechi Llyfnion ar ochr ddeheuol Llyn Peris, ac ar Garreg Noddyn ar yr ochr ogleddol. Mae Llyn Peris yn y fan hon tua chwarter milltir o led.

Dywedir hefyd mai'r gawres hon fu'n casglu cerrig gwynion yn y Cwmglas gyda'r bwriad o'u cario rywle tua Sir Ddinbych i'w gosod ar fedd ei chariad. Yn anffodus, pan gyrhaeddodd Ben Gorffwysfa torrodd llinyn ei barclod a disgynnodd y cerrig yn un llwyth ar ochr y llwybr. Doedd gan y gawres mo'r amynedd i'w hailgasglu ac yno y gadawyd hwy yn un cruglwyth. Efallai mai'r rhain oedd y cerrig gwynion y sonia Gutyn Peris amdanynt fel beddrod posibl y cawr Ebediw.

Barclodiad y Gawres

Cyffredin iawn yw'r storïau am gawres neu wrach yn cario cerrig yn ei barclod a hwnnw'n torri nes gadael llwyth o gerrig ar gopa neu lethr y mynydd. Diddorol yw nodi fod y ddwy chwedl o'r fro hon sy'n sôn am ddigwyddiad cyffelyb yn manylu ar liw y cerrig. Cerrig gwynion a gasglodd Cawres Peris a'u gollwng ar Ben Gorffwysfa.

Cerrig gwynion hefyd a gasglodd rhyw gawres ddienw yng Nghwm Dwythwch a'u cario dros ystlys Moel Eilio gyda'r bwriad o'u defnyddio i adeiladu pont neu sarn ar draws y Fenai i ymweld â'i chariad ym Môn. Wedi dringo llechweddau serth Yr Aelgerth a Braich y Foel o Gwm Dwythwch, gorffwysodd y gawres mewn pantle gwlyb uwchben Cwm Tŷ-du. Oherwydd pwysau'r cerrig yn ei barclod, suddodd ei sodlau i'r ddaear a tharddodd dwy nant fechan o ôl ei thraed. Gelwir y lle hyd heddiw yn Gafl yr Widdan.

Wedi saib aeth y gawres ymlaen dros y Bryn Mawr ond erbyn cyrraedd ysgwydd y Cefn Du roedd ei llwyth yn trymhau unwaith eto ac uwchben Waunfawr torrodd llinyn ei barclod gan adael twmpath anferth o gerrig gwynion ar lawr.

Dyma Garnedd y Waun yn ôl Owen Williams Waunfawr (Owen Gwyrfai) ac amcangyfrifai ei bod yn pwyso tua 500 tunnell. Fe'i gelwid hefyd yn Garnedd Wen a dywedir i lawer o'r cerrig ohoni gael eu defnyddio i adeiladu rhai o'r tyddynnod cynnar yn ardal Waunfawr a'r Ceunant.

Diddorol sylwi fod elfennau cyffredin i'r ddwy stori. Mae'r ddwy gawres yn casglu cerrig gwynion; yn eu cario mewn barclod gyda'r bwriad o ymweld â chariad; a llwyth y ddwy yn cael ei adael mewn bwlch uchel rhwng dau ddyffryn.

Cerrig gwynion sy'n cael eu casglu gan y ddwy gawres ac y mae elfen o serch yn perthyn i'r chwedlau. Roedd yn yr ardal draddodiad ers talwm o anrhegu pâr priod â nifer o gerrig gwynion.

Ganthrig Bwt o Greigiau'r Gromlech

Ym mwlch Llanberis, yn agos i glogwyni'r Mur Mawr, a heb fod ymhell o Ynys Ettws, mae cruglwyth o greigiau anferth a elwir yn Creigiau'r Gromlech. Yma, flynyddoedd lawer yn ôl, roedd gwrach neu gawres o'r enw Ganthrig Bwt yn byw. Roedd pawb o fewn y fro yn ei hadnabod ac yn cadw'n glir ohoni, yn enwedig y plant a fyddai'n rhedeg mewn dychryn bob tro yr ymddangosai.

Dechreuodd plant rhai o deuluoedd yr ardal ddiflannu a thybid ar y dechrau fod rhyw anifeiliaid gwyllt yn ymosod arnynt ac yn eu cario nôl yn ysglyfaeth i'r mynyddoedd. Ymhen amser daeth ci oedd yn eiddo i un o feibion y Cwmglas ar draws darn o sgerbwd yn agos at Greigiau'r Gromlech. Sylweddolwyd yn fuan mai llaw plentyn oedd y darn a gariodd y ci yn ôl i'r Cwmglas. Wedi ei hastudio'n fanwl sylweddolwyd mai llaw un o'r plant a ddiflannodd ydoedd. Roedd yn bosibl ei hadnabod oherwydd i'r plentyn hwnnw gael archoll arbennig ar ei fysedd.

Creigiau'r Gromlech — cartref Ganthrig Bwt.

Dechreuwyd gwylio Ganthrig a phenderfynodd teuluoedd y Nant fod yn rhaid ei lladd. Aeth un o ddynion dewraf y fro at y creigiau a gweiddi ar Ganthrig gan ddweud fod ganddo anrheg o blentyn ifanc iddi. Atebodd hithau y byddai'n dod allan o'i chuddfan cyn gynted ag y byddai wedi gorffen trin pen y plentyn diwethaf a laddwyd ganddi. Cyn hir, daeth allan o'i chuddfan dan y meini a rhuthrwyd arni gan fintai o ddynion. Llwyddwyd i'w dal gerfydd ei braich a thorrwyd ei phen i ffwrdd â chryman.

Dywedir iddi gael ei chladdu mewn lle o'r enw Tir Coch, ger Llanberis. Byth ar ôl hynny cafodd plant y fro lonydd.

Cysylltiadau Arthuraidd

Y mae nifer dirifedi o chwedlau a choelion am Arthur ledled Cymru a gwledydd Prydain. Weithiau fe'i disgrifir fel cawr anferthol ei faint; dro arall fel arweinydd milwrol neu 'frenin'. Y mae ei gysylltiadau chwedlonol ag Eryri yn lluosog.

Ogof Arthur

Os rhoddir coel ar bob chwedl, yna mae Arthur a'i filwyr yn cysgu mewn mwy nag un ogof. Mae o leiaf ddwy o'r ogofâu hyn yn Eryri — un uwchben Llyn Marchlyn Mawr ar Elidir, a'r llall mewn clogwyn ar y Lliwedd uwchlaw Llyn Llydaw.

Darganfuwyd ogof Elidir gan fugail y Rhiwen yn ôl traddodiad ond dychrynwyd y creadur oddi yno gan ru y milwyr yn deffro i alwad y gloch oedd yn crogi wrth ddrws yr ogof.

Dyna fu hanes bugail arall hefyd yn y chwedl sydd wedi ei lleoli ar lethrau'r Wyddfa. Yn ôl traddodiad, roedd dwy dref enwog o ddeutu'r Wyddfa yn yr hen amser: Tre Weirydd a Thre Galan. Yma, yn ôl rhai, yr ymladdodd Arthur ei frwydr olaf. Roedd ef a'i filwyr yn ymlid eu gelynion ym mynyddoedd Eryri a chafwyd ar ddeall eu bod yn cuddio yng nghaerau Tre Galan. Wedi brwydr galed bu'n rhaid i'w elynion ddianc i fyny'r cwm gan ddringo am y bwlch sy'n arwain drosodd am Gwm Dyli. Yng nghanol y creigiau ar ben y bwlch cuddiodd nifer o'r gelynion gan anfon cawod o saethau tuag at Arthur a'i filwyr oedd yn parhau i'w hymlid.

Clwyfwyd Arthur yn ddifrifol a lladdwyd nifer o'i filwyr ffyddlon. Bu yntau farw o'i archollion ac fe'i claddwyd yno ger Bwlch y Saethau gan osod carnedd o gerrig dros y corff; Carnedd Arthur. Dihangodd y gweddill o'i filwyr dros grib ysgythrog y Lliwedd a dringo i lawr y clogwyni serth nes cyrraedd ogof anferth uwchben Llyn Llydaw.

Caewyd ceg yr ogof ac yno y bu'r milwyr yn cysgu nes i fugail Cwm Dyli eu darganfod un diwrnod wrth chwilio am ddafad golledig. Wrth iddo wthio i mewn drwy ddrws yr ogof trawodd y gloch oedd yn hongian o'r nenfwd. Dyma'r arwydd i'r milwyr fod Arthur wedi cyfodi a bod eu hangen eto i ymladd dros eu gwlad. Bloeddiodd y milwyr mor ofnadwy nes dychryn y bugail druan ac, yn ôl pob sôn, ni chafodd ddiwrnod o iechyd byth wedi hynny.

Buan y sylweddolodd y milwyr mai camgymeriad oedd y cyfan ac aethant yn ôl i'r ogof i gysgu eto nes derbyn y wir alwad. Ac yno y maent hyd heddiw . . .

Cegin Arthur

O dan y gweundir llwm a chorslyd sydd rhwng Dinas Dinorwig a llethrau Moel Rhiwen mae Cegin y Brenin Arthur. Yma mae Afon Cegin yn tarddu ac yma hefyd mae Ffynnon Cegin Arthur. Dywedir fod dŵr y ffynnon yn codi o Gegin y Brenin Arthur.

Yn ôl traddodiad, mwg o'r Gegin oedd y tarth a godai'n rheolaidd o'r corsydd amgylchynnol, a braster o'r cigoedd a'r seigiau a gâi eu coginio yno oedd i'w weld yn nofio ar wyneb dŵr y ffynnon.

Coetan neu Garreg Arthur

Mae'r garreg fawr, gron wedi ei lleoli ar lethrau isaf mynydd Cefn Du. Yn ôl yr hanes bu'n rhaid i Arthur eistedd ar gopa'r mynydd am fod carreg yn ei esgid. Tynnodd y garreg o'i esgid

a'i thaflu i ffwrdd. Rowliodd y garreg honno i lawr llethrau'r Cefn Du nes aros yn ei lleoliad presennol. Honno yw Coetan neu Garreg Arthur.

Mae'n amlwg fod Arthur druan wedi dioddef cryn dipyn o ganlyniad i gael cerrig yn ei esgidiau gan fod degau o feini tebyg ar hyd a lled Cymru. Mae'n ymddangos i rai ohonynt — a'r rheini'n pwyso sawl tunnell — gael eu taflu gryn bellter. Mae traddodiadau rhai ardaloedd yng Nghymru yn honni fod trysor y Brenin Arthur wedi ei guddio o dan rai o'r meini hyn.

Maen Du'r Arddu
islaw Bwlch Cwm Brwynog.
Un o hoff lecynnau dawns
y Tylwyth Teg.

Meini a Cherrig Anferth

Roedd meini neu gerrig anferth eu maint neu od eu siâp yn ennyn chwilfrydedd yr hen drigolion. Yn yr hen amser doedd pobl ddim yn sylweddoli mai effaith rhewlifiant a fu'n gyfrifol am ffurfio a symud nifer o'r cerrig hyn i fannau oedd ymhell oddi wrth unrhyw greigiau eraill o'r un math. Oherwydd eu 'harwahanrwydd' priodolid rhyw nodwedd neilltuol iddynt. Defnyddiwyd eraill fel rhan o waith adeiladu hynafol gan ddyn.

Maen Du'r Arddu

Yr oedd hen gred gynt ynglŷn â chysgu ger cromlech ar un o'r tair 'ysbrydnos', sef Nos Galan Mai, Noswyl Ifan (22 Mehefin) a Nos Galan Gaeaf. Credid y byddai person a feiddiai wneud y fath beth wedi marw, wedi colli ei bwyll, neu wedi troi'n fardd erbyn y bore.

Mae coel debyg yn bodoli ynglŷn â Maen Du'r Arddu, y graig anferth a saif islaw Bwlch Cwm Brwynog a rhwng Clogwyn Llechwedd Llo a Chlogwyn Du'r Arddu. Dywed traddodiad fod pwy bynnag a gysgo noson ar ben y maen hwn yn deffro drannoeth un ai'n wallgof neu'n fardd. Fersiwn arall ar yr un goel yw fod dau berson sy'n cysgu noson yma yn deffro drannoeth gyda'r naill yn wallgof a'r llall yn fardd.

Dywedir fod dau ŵr lleol wedi mentro herio'r goel hon unwaith, sef Huwcyn Siôn y Canu a Huw Belisa. Erbyn drannoeth roedd un ohonynt, 'wedi ei lenwi â'r awen nefol, a'r llall wedi ei amddifadu o'i holl synhwyrau'.

Sylwer fod enw'r ail ŵr, Huw Belisa, yn awgrymu cysylltiad â'r Tylwyth Teg. Y Belisiaid oedd disgynyddion priodas rhwng merch y Tylwyth Teg a meidrolyn. Ac yr oedd Maen Du'r Arddu yn un o gyrchfannau poblogaidd y Tylwyth Teg yn ôl traddodiad. Dywedir eu bod i'w gweld yn aml yn dawnsio o gwmpas y graig a cheir hanes mab yr Helfa Fain, Llanberis yn cael ei hudo i'r cylch dawns.

Coetan neu Garreg Arthur

Carreg fawr gron ar lethrau Cefn Du y dywedir iddi gael ei thynnu o esgid y cawr, Arthur.

Y Garreg Lefain

Ar ystlys Cefn Du uwchben pentref Ceunant mae grŵp o feini lle saif y Garreg Lefain. Dyma, yn ôl traddodiad, un o hoff fannau'r Tylwyth Teg. Mae hon yn garreg adlais neu 'garreg ateb' a dyna sut y cafodd ei henw. Gallai fod yn safle gwylio ers talwm oherwydd o'i phen gellir gweld ar draws y dirwedd tua'r Eifl i un cyfeiriad ac i gyffiniau Dinas Dinorwig i'r cyfeiriad arall. Gerllaw hefyd mae olion nifer o hen gytiau crynion a mwnt claddu.

Llam Hedi

Yng nghwr dwyreiniol Llyn Marchlyn Bach mae clogwyn eithaf serth a dwy graig enfawr ynddo. Rhwng y ddwy graig mae tarddiad nant fechan. Mae hen chwedl yn adrodd am wrhydri rhyw filiast arbennig o'r enw Hedi yn hela'r llwynog yn yr ardal

ac yn llamu o un graig i'r llall uwchben y clogwyn er mwyn dal ei hysglyfaeth. Tybed ai'r un filiast a roes ei henw i'r mynydd gerllaw, sef Carnedd y Filiast? Dywedir mai ar lethrau'r mynydd hwn y byddai'r milgwn yn cael eu gollwng ar ôl i'r daeargwn godi'r llwynog o'i ffau. O Garnedd y Filiast draw tuag Elidir mae ucheldir gwastad, ac 'felly yn fanteisiol i'r filiast oddiweddyd y cadno coch, a rhwygo ei dynewyn, fel yr ymdywalltai ei berfedd ar y mynydd; felly y gafaela hen

filgwn cynefin yn y cadno bob amser, gan ei daflu i fyny'. A'r enw ar yr ucheldir gwastad hwn, wrth gwrs, yw Mynydd Perfedd.

Y Maen Gwastad

Carreg fawr ar Wastad Ffynnon Deg, rhan o Fraich Poeth, un o lechweddau Elidir Fach. Fe'i defnyddid i farcio terfynau tiroedd pori fferm Glan y Bala. Mae'n cael ei henwi ar Fap Arolwg o Stad y Faenol yn 1777.

Y Meini Siglo:

Maen Siglo Pen Gorffwysfa

Rywbryd yn ystod misoedd olaf 1980 dymchwelwyd un o feini siglo enwocaf yr ardal. Safai yn uchel ar y llethrau ym mhen Bwlch Llanberis ac amcangyfrifid ei fod yn pwyso rhwng 15 ac 20 tunnell. Mae llawer o feini tebyg i'w cael ar glogwyni Eryri — olion effeithiau'r Oes Iâ ddeng mil o flynyddoedd yn ôl; ond hwn, mae'n debyg, oedd yr un amlycaf i deithwyr wrth iddynt nesáu at Ben Gorffwysfa. Dywedir fod cydbwysedd y garreg hon mor berffaith fel ei bod yn siglo mewn gwynt cryf.

Dymchwelwyd y garreg siglo yn fwriadol gan rywrai

oherwydd roedd yno olion trosolion i'w gweld yn y man lle gynt y safai'r maen. Cynigiwyd gwobr ariannol gan Bwyllgor Parc Cenedlaethol Eryri am wybodaeth ynglŷn â'r fandaliaid a'i dymchwelodd ond ofer fu'r cais.

Yn ôl hen goel, dywedid y byddai gan Loegr lwyr oruchafiaeth dros Gymru pe cwympai'r maen siglo hwn.

Maen Siglo'r Glasgoed

Mae cyfeiriadau at garreg siglo arall nid nepell o Ddinas Dinorwig ond nid maen siglo naturiol mohono. Roedd nifer o feini mawr wedi eu gosod i sefyll ar y llethrau islaw Dinas Dinorwig a rhwng yr hen gaer a phlasty diweddarach y Glasgoed. Mae posibilrwydd mai cylch cerrig, neu hyd yn oed gromlech, oedd yno. Gosodwyd un o'r meini yn y fath fodd fel y gellid ei siglo â llaw er ei fod yn pwyso tunelli.

Cafodd yr holl gerrig eu clirio, yn ôl yr hanes, a'u defnyddio i adeiladu plasty'r Glasgoed.

Mae disgrifiad o'r cylch hirgrwn yn cynnwys tuag ugain o feini o amgylch cromlech neu gist gladdu i'w gael yn llyfr y meddyg o Gaernarfon a Llundain, A. Wynn Williams: *King Arthur's Well, Llanddeiniolen*, a gyhoeddwyd yn 1858.

Mor ddiweddar â 1961 roedd y garreg yn parhau i gael ei henwi fel *'rocking stone'* ar fapiau Ordnans er ei bod wedi hen ddiflannu erbyn hynny.

Gwiber y Gromlech

Ar lethr uwchlaw'r Fenai ar fferm Y Bryn, sydd a'i thiroedd ar y terfyn rhwng plwyfi Llanfair-is-gaer a Llanddeiniolen, mae carreg anferth yn gorwedd ar garreg lai. Mae ansicrwydd a yw'n olion cromlech ai peidio.

Ers talwm, roedd gwiber fawr yn byw yng nghysgod y 'gromlech' ac yn ymddangos weithiau gan ddolennu o amgylch y maen. Dywedir i ddyn o'r enw Owen Harri Dafydd, gof o Borthaethwy, dyngu i ladd y wiber.

Roedd yn ddyn cryf eithriadol ac mewn brwydr ffyrnig fe laddodd y wiber â phicfforch. Yn ôl rhai adroddiadau am yr 'hanes' digwyddodd hyn yn y flwyddyn 1639.

Carneddau Pen Gorffwysfa

Ym Mhen Gorffwysfa ac ar y terfyn rhwng plwyfi Llanberis a Beddgelert, dywedir fod dwy garnedd fawr o gerrig ers talwm. Defnyddiwyd y cerrig i gyd o un o'r carneddau pan ddechreuwyd adeiladu tai ar ben y Bwlch a difrodwyd y llall yn helaeth hefyd. Roedd y carneddau yn bod pan ddaeth Edward Lhuyd ar daith y ffordd hon a dywed fod ei arweinydd wedi cerdded o amgylch un o'r carneddau naw o weithiau gan adrodd Gweddi'r Arglwydd cyn gyflymed ag y gallai.

Efallai mai un o'r carneddau hyn y cyfeirir ati fel Bedd Ebediw, neu'r llwyth o gerrig a ollyngwyd gan Gawres Peris.

Yn ystod y blynyddoedd 1830-32, pan wnaed y ffordd newydd drwy Fwlch Llanberis, dywedir fod beddau hirion wedi eu darganfod ar Ben Gorffwysfa ond bod yr adeiladwyr wedi eu chwalu'n llwyr.

Cadair Ellyll

Ar y llethrau rhwng copa'r Derlwyn a rhaeadr y Ceunant Bach, ac yn agos i lwybr yr Wyddfa, mae craig fechan sy'n cael ei galw'n Cader Ellyll neu Gastell Ellyll. Ar lafar yr enw yw Cader Elli.

Hyd at yr ail ganrif ar bymtheg roedd y tir o amgylch Cader Elli, a rhan helaeth o Waun Cwm Brwynog, yn eiddo i gangen o deulu'r Wynniaid o Wydir. Tŷ Canol oedd cartref Rhys Wynn ap Maredudd, brawd Siôn Wynn o Wydir. Bu ei fab, Siôn ap Rhys Wynn yn byw yno hefyd. Bu Rhys Wynn farw yn 1600 ac ysgrifennodd Wiliam Cynwal farwnad iddo. Gan mlynedd yn ddiweddarach y mae cofnodion treth a rhent tir ar gael sy'n dangos fod yr ardal yn parhau ym meddiant Watkin Williams Wynn o'r un teulu.

Credir fod teuluoedd lled gefnog yn tueddu i greu straeon am ysbrydion neu ellyllon yn byw gerllaw eu cartrefi er mwyn cadw gwylliaid a lladron ofergoelus draw. Mae hen goel yn honni mai dyma sut y cafodd Cader Ellyll ei henwi.

Darganfuwyd olion Tŷ Hir gerllaw, yn mesur 30 troedfedd wrth 13 troedfedd, ac wedi ei osod ar lwyfan o gerrig. Roedd y waliau o gerrig sych tua thair troedfedd o drwch. Ar y llethrau cyfagos roedd olion caeau bychan wedi eu cau.

Mae'r holl draddodiad a'r coelion yn dangos fod anheddau cynnar iawn wedi bod ar y safle.

Craig yr Undeb

Saif y graig adnabyddus hon ar ochr yr hen ffordd o Ben Llyn i Lanberis, yn agos i ben gogleddol Llyn Padarn.

Ym mis Mai 1874 y dechreuwyd casglu cyfraniadau cyntaf Undeb Chwarelwyr Gogledd Cymru; undeb a gofrestrwyd ar ddechrau'r flwyddyn honno. Dioddefodd cant ac ugain o chwarelwyr Glynrhonwy pan gawsant eu hatal o'u gwaith am dair wythnos am fod yn aelodau o'r Undeb. Cyfarfu perchnogion y chwareli llechi yng Nghaernarfon ar 14 Mai 1874 i drafod sefyllfa'r Undeb a rhoddwyd rhybudd ganddynt

y byddent yn gwrthod gwaith i unrhyw ddyn a fyddai yn ymaelodi â'r Undeb. Rhoddwyd y dewis hwn — gwaith neu Undeb — i chwarelwyr Dinorwig ar 'ddiwrnod gosod' ym Mehefin yr un flwyddyn. Dewisodd dros 2,000 o weithwyr yr Undeb. Buont allan o'r gwaith am bum wythnos. Ceir adroddiadau am y gwrthdaro undebol cynnar hwn yn rhifynnau'r *Herald Cymraeg* a chofnodir fod y chwarelwyr yn cynnal cyfarfodydd ar Graig yr Undeb. Daw'r cofnod cyntaf o ddefnyddio'r enw hwn yn rhifyn 17 Gorffennaf 1874 o'r *Herald Cymraeg*. Amhosibl bellach yw darganfod pwy a fathodd yr enw hwn ar y graig na pha bryd.

Bid a fo am hynny, yn ystod y blynyddoedd dilynol, ac yn enwedig yn ystod cload allan 1885-86, bu Craig yr Undeb yn gyrchfan bwysig i chwarelwyr y fro — ac nid i drafod materion undebol yn unig. Ceir amryw adroddiadau am gyfarfodydd gwleidyddol a chymdeithasol yn cael eu cynnal ar y Graig.

Yn 1974 dadorchuddiwyd cofeb ar Graig yr Undeb i ddathlu canmlwyddiant yr Undeb:

> Hen randir cewri'r Undeb — a llwyfan
> Lle bu llef uniondeb;
> Yma'n trin eu trychineb
> Bu eofn wŷr heb ofn neb.
>
> MORRIS D. JONES

Y Garreg Bechodau

Yn ymyl Gwaredog yn ardal Waunfawr mae carreg wastad yn Afon Gwyrfai a oedd yn gyrchfan bwysig ar achlysur marwolaeth un o'r ardalwyr 'slawer dydd. Pan fyddai rhywun farw arferid gwneud teisen o'r cynhwysion gorau a'i rhoi ar frest y corff marw. Credid fod holl bechodau'r ymadawedig yn cael eu sugno allan o'r corff ac i mewn i'r deisen. Wedyn, byddai'r deisen yn cael ei chario'n ofalus at lan yr afon, ei gosod ar y Garreg Bechodau, a'i gadael yno. Ymhen amser deuai Bwytäwr Pechodau'r ardal heibio a'i bwyta gan gymryd arno holl bechodau'r person a fu farw. Dyna pam roedd teulu'r ymadawedig yn gwneud yn siŵr fod y cynhwysion gorau yn cael eu defnyddio i wneud y deisen fel na fyddai briwsionyn hyd yn oed yn cael ei adael ar ôl.

Y Garreg Bechodau yn Afon Gwyrfai.

Mae peth amheuaeth wedi bod ymhlith ysgolheigion Cymru ynglŷn â'r arferiad hwn. Ceir y cyfeiriad ysgrifenedig cyntaf ato gan ŵr o'r enw John Aubrey a ysgrifennai yn yr ail ganrif ar bymtheg: '*In the county of Hereford was an old custom at funerals to hire poor people, who were to take upon them the sins of the party deceased . . . a loaf of bread was brought out and delivered to the sin-eater, over the corpse . . . also a bowl full of beer, which he was to drink up, and sixpence in money*'. Dywed Aubrey hefyd fod y traddodiad yn bodoli yng ngogledd Cymru yn yr un cyfnod.

Yng ngogledd Cymru ceir disgrifiad gan Lewis Morris a William Bingley o draddodiad tebyg, sef bwyta bara a chwrw dros arch yr ymadawedig gan dlotyn. Ond nid yw'r un o'r ddau yn cyfeirio at y gred fod pechodau'r ymadawedig yn cael eu bwyta hefyd.

Arfer arall oedd gosod plât ar y corff ac arno halen a bara. Byddai'r Bwytäwr Pechodau yn bwyta'r cyfan am dâl o hanner coron ac yna'n dianc rhag melltithion y galarwyr.

Credai rhai mai cardod i'r lladron ar ddydd yr angladd oedd yr offrwm o fara, halen a chwrw, ond fod y tlodion yn 'talu' am y cardod trwy dderbyn pechodau'r ymadawedig arnynt eu hunain.

Mae'r dystiolaeth am arfer o'r fath yn ardal Waunfawr wedi ei chofnodi ar dapiau llafar yn yr Amgueddfa Werin. Yn ôl

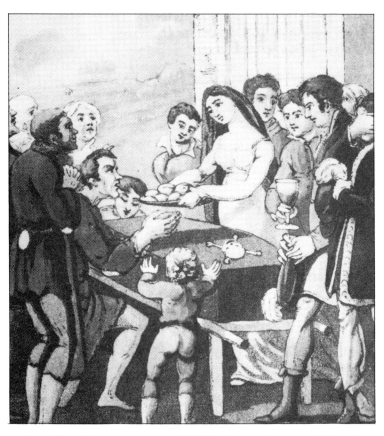

y dystiolaeth hon, cacen gri fyddai'n cael ei gosod i oeri ar fynwes y corff. Wrth oeri byddai'r gacen yn tynnu i mewn holl bechodau'r ymadawedig. Mae'r Parchedig J. Aelwyn Roberts yn cofnodi'r un arferiad hefyd, er nad yw'n enwi'r wraig o Waunfawr a roes hanes y traddodiad iddo. Mae ef yn galw'r gacen yn 'deisen offrwm'.

Dywed traddodiad fod cell meudwy ar dir Gwaredog ganrifoedd lawer yn ôl a bod eglwys gynnar wedi ei sefydlu yno. Mae cae ar dir y fferm yn cael ei alw'n Bryn Fynwent. Gyferbyn â Gwaredog, ar draws yr afon, mae fferm fechan arall o'r enw Bryn Beddau. Darganfuwyd yno wrn bychan yn cynnwys llwch. Yn ôl archaeolegwyr, roedd yr wrn yn dyddio o gyfnod Oes y Pres, sef tua 1,800 hyd 600 Cyn Crist. Mae'r Garreg Bechodau wedi ei lleoli rhwng y ddau safle hwn. Tybed a oes unrhyw arwyddocâd i'r enwau hyn; pob un â chysylltiad â marwolaeth a chladdu? Ac a yw'n bosibl i gof gwerin am fannau a thraddodiadau claddu oroesi am gyfnod mor hir?

Pwy tybed oedd y Bwytäwr Pechodau? Byddai'n ddiddorol pe bai cofnod wedi ei gadw, nid yn unig o'r arferiad ei hun, ond o'r bobl hynny oedd yn fodlon derbyn holl bechodau meirwon eu hardaloedd am friwsion cacen, llymaid o gwrw neu ychydig sylltau.

A phwy tybed oedd yn ddigon dewr i fwyta pechodau'r Bwytäwr Pechodau ei hun pan fyddai hwnnw farw?

Ffynhonnau Arbennig

O'r cyfnodau cynnar roedd ffynhonnau'n cael eu mawrygu a'u parchu. Dŵr yw hanfod bywyd ac i'n cyndeidiau roedd pistyll o ddŵr yn llifo o'r ddaear yn dod â ffrwythlonder i'r tir a bywyd i ddyn ac anifail. Nid yw'n syndod felly fod pobl yn credu mai yn y ffynhonnau hyn roedd ysbrydion nerthol yn trigo a bod angen gofalu amdanynt, gan gynnal seremonïau crefyddol o'u hamgylch, neu hyd yn oed offrymu iddynt.

Yn sgîl Cristnogaeth, peidiodd dŵraddoliad fel y cyfryw ond cadwodd nifer o'r hen ffynhonnau pwysicaf eu dylanwad, ac fe'u hailgysegrwyd yn enw'r Forwyn Fair neu un o'r seintiau. Bellach, pan gâi seremoni ei chynnal ynglŷn â'r ffynnon, rhoddid diolch i Dduw am gyflenwad o ddŵr ac nid i'r ysbrydion paganaidd hynny oedd yn byw o fewn ei dyfroedd!

Roedd arbenigrwydd i nifer o'r ffynhonnau hyn. Credid eu bod yn meddu ar rinweddau goruwchnaturiol ac y gellid mynd atynt i ddymuno gwellhad rhag anhwylderau neu i ddymuno ffafrau arbennig. Yr hen enw arnynt oedd 'ffynhonnau gofuned'. Yn aml byddai cleifion wedi eu briwio yn cyrchu tua'r ffynnon ac yn gwlychu cadach yn ei dŵr. Yna, byddai'r briw yn cael ei olchi gyda'r cadach a hwnnw wedyn yn cael ei osod i hongian ar frigau llwyni neu goed gerllaw'r ffynnon. Deuai hyn â gwellhad buan i'r briw. Mewn enghreifftiau eraill byddai pinnau'n cael eu defnyddio i grafu defaid ar ddwylo a'r pinnau wedyn yn cael eu taflu i ddŵr y ffynnon.

Ffynnon Garmon

Saif y ffynnon yn uchel ar lethrau Moel Smytho, yn wynebu dyffryn Afon Gwyrfai islaw. Gerllaw, mewn coedwig drwchus, mae olion hen adeilad sydd o bosibl yn dyddio'n ôl i'r unfed ganrif ar bymtheg ac a allai fod yn gapel anwes i hen Eglwys Sant Garmon.

Does dim sicrwydd pendant pa un o'r seintiau cynnar oedd y Garmon hwn. Dywed traddodiad fod cell meudwy ar dir Gwaredog gerllaw ac i eglwys gynnar gael ei sefydlu yno. Cofnodir hefyd fod un o'r enw Garmon ap Goronwy o Gwaredog yn ddisgybl i Beuno yng Nghlynnog Fawr yn Arfon.

Priodolid i'r ffynnon y rhinwedd o iacháu'r crydcymalau ac unrhyw afiechyd neu haint a effeithiai ar y croen.

Ffynnon Ddeiniolen

Mae dwy ffynnon yn hawlio'r bri sy'n gysylltiedig â'r enw. Dywedir gan rai mai'r ffynnon gerllaw Eglwys Llanddeiniolen ydyw, ond mynnir gan eraill ei bod yn y pant islaw Dinas Dinorwig. Mae'n ddiddorol nodi fod lleoliad y ddwy ffynnon (ond nid yr enw Ffynnon Ddeiniolen) yn cael eu nodi ar fapiau Arolwg Stad y Faenol a wnaethpwyd gan Walter Jones yn 1809.

Mae'r ffynnon gerllaw'r eglwys blwyfol yn cael ei galw weithiau'n Ffynnon y Gloch: dyna enw'r cae lle lleolir hi ar dir Ty'n Llan Uchaf. Mae'r llall wedi ei lleoli ar ran o dir fferm Tan y Dinas a elwir yn Dryll y Ffynhonnau.

Yn ôl traddodiad, roedd dŵr o Ffynnon Ddeiniolen yn rhoi gwellhad i'r crydcymalau ac i sgyrfi.

Y Ffynnon Fedydd

Ar y corstir rhwng ffermydd Y Ddôl a'r Aden yng ngwaelodion plwyf Llanddeiniolen mae tarddle ffrwd fechan sy'n ffurfio un o nifer o led-nentydd Afon Cadnant. Yma hefyd mae'r Ffynnon Fedydd. Yn ôl hen draddodiad, dywedir mai ar dir Yr Aden yr oedd lleoliad gwreiddiol hen eglwys blwyfol Llanddeiniolen ac mai yn y ffynnon gerllaw y câi'r plwyfolion eu bedyddio. Dywedir i gerrig yr hen eglwys gael eu cario ymaith i adeiladu Plas Llanfair ym mhlwyf cyfagos Llanfair-is-gaer.

Cafwyd olion dau gwt hynafol yma, ynghyd â chlawdd o gerrig a phridd, a nifer o leiniau o dir amaeth. Mae'n ddiddorol nodi fod caeau gerllaw yn cael eu galw yn Cefn Beddau. Yn ystod y 1930au cafwyd nifer o esgyrn dynol o'r caeau hyn wrth aredig.

Mae Richard Farrington yn 1769 yn nodi mai dyma safle

Fanadlan, ond nid yw'r olion a ddarganfuwyd yma yn debyg i'r cynllun a wnaeth ef.

Ffynnon Mymbre

Gan fod plwyf Llanfair-is-gaer yn ffinio â phlwyf Llanddeiniolen, diddorol nodi fod cofnodion teulu Plas Llanfair ar gof a chadw yn y Llyfrgell Genedlaethol yng nghasgliad 'Llanfair a Brynodol'. Ymhlith y cofnodion hynny ceir cyfeiriad at Ffynnon Mymbre yn nhrefgordd *'Dynorvecke'* (sef Dinorwig) yn 1587.

Yn anffodus, aeth yr enw a lleoliad y ffynnon yn angof erbyn heddiw.

Ffynnon Fair

Nid nepell o safle'r Ffynnon Fedydd yng ngwaelodion plwyf Llanddeiniolen, mae gallt serth yn arwain i lawr tua'r Fenai ac eglwys blwyfol Llanfair-is-gaer. Yr enw ar lafar arni yw Gallt Ffynnon Fair. Rhyw hanner canllath o waelod yr allt, ac ar yr ochr ogleddol i'r ffordd, mae safle'r hen Ffynnon Fair. Oddi yma y ceid dŵr ar gyfer bedyddiadau yn Eglwys Llanfair.

Mae cyfeiriad at y ffynnon ym mhapurau 'Llanfair a Brynodol' yn tystio fod Meredydd ap Meurig ap Gruffydd wedi rhoi llain o dir i William Griffith. Dyddiad y ddogfen yw 1458 ac enw'r llain tir oedd Cae Ffynnon Fair.

Fel amryw o ffynhonnau sanctaidd eraill dywed traddodiad fod i'r dŵr rinweddau meddyginiaethol. Bellach, pydew o goncrid sydd yno i dderbyn gorlif oddi ar wyneb y ffordd.

Ffynnon Chwerthin

Mae union leoliad y ffynnon hon yn ansicr. Dywed Myrddin Fardd mai yn agos i bentref Llanberis yr oedd, ond gellir bod yn weddol siŵr bellach mai ym mharthau uchaf plwyf Llanddeiniolen y'i lleolir. Credir ei bod yng nghefn capel presennol Ebeneser ar brif stryd pentref Deiniolen. Mae posibilrwydd iddi gael ei galw yn Ffynnon Abram yn ddiweddarach, nid oherwydd unrhyw gysylltiadau Beiblaidd ond oherwydd mai tenant Ty'n y Weirglodd, lle saif y ffynnon, oedd gŵr o'r enw Abram.

Roedd Ffynnon Chwerthin wedi ei lleoli yng nghanol cors neu donnen. Nid oedd yn bosibl cyrraedd ati heb gynhyrfu'r dŵr yn y siglen ac yn y ffynnon ei hun, nes peri iddo godi'n swigod mân ar yr wyneb a chreu sŵn tebyg i sibrwd neu chwerthin isel.

Nid ffynnon fendithiol nac iachaol mo hon, ond ffynnon felltithio. Dyma sut y disgrifia Myrddin Fardd y ffynnon: 'Gwelid ynddi filoedd o binnau yn y gwaelod, ac wmbredd o gorciau yn llawn o'r un arfau peryglus yn nofio yr wyneb. Dyna offerynau tair gwrach y gymdogaeth i gosbi troseddwyr, a thynnu oddi ar eu cymdogion ofergoelus, y rhai bob amser, a roddent y gorchmynion caethaf i'w plant i gadw draw oddi wrth y ffynnon hon . . . Mor fuan ag y gwelid y dwfr yn byrlymu neu yn crychferwi, gwelwai yr wyneb, a churai y gliniau ynghyd o dan ddylanwad ofn.'

Nid oedd hyd yn oed llanciau dewraf y fro yn meiddio rhoi blaen eu bys yn nŵr y ffynnon hon!

Mae'n ymddangos fod y gred yng ngrym melltithio'r ffynnon yn bod ar ddechrau'r bedwaredd ganrif ar bymtheg, ond fod diwygiadau crefyddol wedi ei lladd o'r tir. Dyna, o leiaf, yw tystiolaeth John Hughes yn ei draethawd ar 'Hanes Waen Cynfi' a gyhoeddwyd yn 1868: 'Yr wyf yn hyderus fod cyfnewidiadau mawr er gwell erbyn hyn wedi cymryd lle ym meddyliau a syniadau a bucheddau trigolion lluosog Waen Cynfi, trwy ddylanwad yr Efengyl . . .'

Ffynnon Cegin Arthur

Saif y ffynnon hon ar dir fferm yr Hendre, a rhwng y ffermdy hwnnw a thiroedd Y Gors a Chae Hob. Bellach mae rhan helaeth o'r corstir wedi ei orchuddio â choedwig a'r hen ffynnon bron o'r golwg yng nghanol y drysni. Dywedir fod dŵr y ffynnon yn tarddu o Gegin y Brenin Arthur a bod y braster o'r cigoedd a gâi eu coginio yno yn nofio ar wyneb y ffynnon. Oherwydd hynny priodolid iddi lawer o rinweddau meddyginiaethol. Ffynnon ddurllyd ydyw yn cynnwys nifer o fwynau neu fineralau heblaw haearn.

Dywedir mai ar ddechrau ail hanner y bedwaredd ganrif ar bymtheg y dechreuwyd cyrchu iddi o ddifrif, ac mai 'Morgan

Jones, Waun, Llanddeiniolen a fu yn offeryn i ddwyn y ffynnon i sylw'. Mae'n ymddangos iddo gael llwyr wellhad oddi wrth boenau difrifol i'w gefn a hynny ar ôl defnyddio dŵr y ffynnon. Bu cryn ohebiaeth ynglŷn â rhinweddau'r ffynnon yn y wasg Seisnig a Chymraeg a chafwyd dadansoddiad manwl o'r dŵr gan y meddyg A. Wynn Williams o Gaernarfon (Llundain yn ddiweddarach). Cyhoeddwyd llyfryn ganddo i hyrwyddo rhinweddau iachaol y dŵr.

Pobl leol cymdogaeth Llanddeiniolen a'i defnyddiai ond tybiai ambell un y gellid denu mwy i'r ffynnon ac y gallai 'gyrraedd cymaint enwogrwydd â Threfriw a Llanwrtyd'. Dyma farn un o ohebwyr yr *Herald Cymraeg*: 'Yr oedd yr olwg arni yn fy siomi yn fawr: rhyw dwll bychan sgwâr ydyw, gwael a budr yr olwg. Gresyn na chymerai chwarelwyr yr ardal hi mewn llaw . . . Pe gwneid tŷ bychan drosti, gellid cloi hwnnw gan un o breswylwyr y tŷ agosaf.'

Mae'n ymddangos i'r syniad hwn gael ei wireddu. Erbyn 1858 cawn yr un gohebwr yn adrodd fod, '. . . y llwybrau yn cael eu paratoi o bob cyfeiriad tuag at y ffynnon, ac yr ydwyf yn deall oddi wrth y rhai sydd yn byw yn y gymdogaeth fod nifer y rhai a ymwelant â hi yn ddyddiol oddeutu dau cant. Mae dyfrgist wedi ei gwneud i dderbyn y dŵr o'r ffynnon, a chanllaw o goed o'i chwmpas. Mae ym mryd y perchennog i godi tŷ o goed o'i hamgylch.'

Assheton Smith, Stad y Faenol oedd perchennog y tir lle safai'r ffynnon ac ar ei gost ef yr adeiladwyd y bwthyn. Buan iawn yr oedd rhai o'r gwŷr busnes lleol i elwa ar boblogrwydd y ffynnon. Erbyn mis Mai 1858 roedd Morris Roberts yn hysbysebu yn y wasg leol ei fod yn rhedeg cerbydau o orsaf y rheilffordd yn y Felinheli i Ffynnon Cegin Arthur. Roedd ganddo ddwy daith y dydd, bob dydd ac eithrio'r Sul. Cychwynnai'r daith gyntaf am ddeg y bore, a dychwelyd am chwarter wedi hanner dydd. Roedd yr ail daith yn cychwyn am ddau o'r gloch y pnawn gan ddychwelyd am hanner awr wedi pedwar. Rhoddai hyn ryw ddwyawr o amser i'r 'cleifion' i yfed neu ymolchi yn y dŵr iachusol. Roedd y ddwy daith wedi eu hamseru i gydredeg ag amseroedd y trenau o Fangor

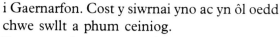

i Gaernarfon. Cost y siwrnai yno ac yn ôl oedd chwe swllt a phum ceiniog.

Dyma, yn sicr, oes aur y ffynnon iachaol hon. Tua'r un cyfnod sefydlwyd diwydiant bychan yn potelu dŵr o'r ffynnon gyda'r enw crand KING ARTHUR'S NATURAL SPRINGWATER COMPANY wedi ei blastro ar label y botel. Oherwydd prif lythrennau'r enw daethpwyd i'w adnabod yn lleol fel 'dŵr Kansco.'

Mae'n ymddangos na ddatblygodd y diwydiant 'dŵr iachaol' i'r fath raddau ag y gwnaeth mewn llefydd eraill yng Nghymru, yn bennaf efallai oherwydd ei safle anghysbell. Roedd y ffaith nad oedd Ffynnon Cegin Arthur wedi ei lleoli o fewn cyrraedd hwylus i orsaf reilffordd yn golygu ei bod yn colli tir yn gyflym iawn i ffynhonnau megis Trefriw, Llanwrtyd a Llandrindod. Doedd y ffaith ei bod yng nghanol gweundir llwm a chorsydd lleidiog o ddim cymorth i ddenu ymwelwyr ffasiynol y cyfnod 'chwaith.

Ffynnon Peris neu Ffynnon y Sant

Heb fod ymhell o'r eglwys blwyfol yn Nantperis, gerllaw bwthyn o'r enw Ty'n Ffynnon, mae lleoliad y ffynnon a elwir weithiau'n Ffynnon Beris a throeon eraill yn Ffynnon y Sant. Mynnai'r Parchedig Peter Bailey Williams, rheithor plwyfi Llanrug a Llanberis ddiwedd y ddeunawfed ganrif a dechrau'r bedwaredd ganrif ar bymtheg, mai Ffynnon y Sant oedd yn gywir.

Yr oedd i'r ffynnon hon hefyd ei rhinweddau meddyginiaethol a deuai pobl y fro yno i dderbyn gwellhad oddi wrth y crydcymalau. Dywedir fod mamau'r plwyf yn dod â'u babanod yno i'w trochi mor fuan â phosibl ar ôl eu geni. Ceir adroddiadau am yr arferiad hwn yn llyfrau taith awduron fel Pennant, Bingley a Hyde Hall.

Yr hyn sy'n ddiddorol yw fod dieithriaid hefyd yn defnyddio'r ffynnon ac yn offrymu ychydig geiniogau am gael defnyddio'r dŵr llesol. Gyda'r arian hwn y byddai cyflog Clerc y Plwyf yn cael ei dalu yn flynyddol ar ddydd Llun y Pasg. Mae cofnodion yn hen gofrestr y plwyf am y flwyddyn 1776

yn cadarnhau hyn: 'Cyflog yr ysgrifennydd yw chwe swllt a phedair ceiniog, i'w talu gan y wardeiniaid yn flynyddol ar Ddydd Llun y Pasg gydag arian a offrymid gan ddieithriaid a ddeuant i ffynnon rinweddol yr hon sydd yn y plwyf. Cymerir yr arian allan o flwch yr hwn a wnaed mewn paladr.'

Yn ôl traddodiad, byddai dau frithyll yn cael eu cadw yn nyfroedd y ffynnon. Yn ôl un goel, roedd gwraig yn gofalu amdanynt. Mae coel arall yn honni mai gwrach neu widdanes oedd yn gofalu am y pysgod a'i bod yn defnyddio symudiadau'r pysgod i ragfynegi digwyddiadau i'r sawl oedd yn fodlon talu iddi am ei phroffwydoliaethau. Mae'n ymddangos mai'r goel gyffredinol ynglŷn â'r pysgod oedd mai arwydd o lwc dda fyddai eu gweld yn nofio yn nyfroedd y ffynnon ond mai anlwc yn sicr a ddilynai y rhai na allent weld y brithyllod.

Os oes sail i'r goel, yna anlwc fydd i bawb sy'n ymweld â'r ffynnon heddiw gan nad oes pysgod ynddi. Credir i'r pysgod olaf gael eu rhoi yn y ffynnon yn 1896. Yn ôl traddodiad, rhaid oedd disgwyl i'r hen frithyllod farw cyn gosod rhai newydd yn y ffynnon, neu fe fyddai'r hen wedi lladd y newydd. Ym mis Awst 1896 bu farw'r unig un o'r ddau frithyll oedd yn parhau yn fyw. Roedd yn mesur dwy fodfedd ar bymtheg ac fe'i claddwyd yng ngardd Ty'n Ffynnon. Cyn diwedd y flwyddyn gosodwyd dau frithyll ifanc newydd yn y ffynnon ac mae'n bur debyg mai'r rhain oedd y rhai olaf.

Er hynny mae dŵr o Ffynnon y Sant yn parhau i gael ei ddefnyddio heddiw mewn bedyddiadau yn Eglwys Sant Peris.

Llwybrau Tanddaearol

Mae llên gwerin Ynysoedd Prydain yn llawn o chwedlau am lwybrau tanddaearol, fel arfer yn arwain o un safle hynafol i un arall. Ychydig iawn ohonynt sydd wedi eu darganfod ac mae'r rhan fwyaf ohonynt yn ffisegol amhosibl. Hynny yw, maent yn croesi o dan afonydd neu gorsydd. Maent weithiau, hyd yn oed, rai milltiroedd o hyd. Mae nifer ohonynt hefyd yn cael eu cysylltu â rhyw fath o drysor cuddiedig.

Llwybr Pen y Gaer a Dinas Dinorwig

Yn ôl traddodiad llafar, mae llwybr tanddaearol yn cysylltu'r ddwy hen gaer hon ym mhlwyf Llanddeiniolen. Does dim sôn am drysor yn gysylltiedig â'r llwybr ond dywedid y byddai trigolion un gaer yn medru dianc o dan y ddaear i'r llall pe byddai gelynion yn cael goruchafiaeth arni!

Byddai union leoliad rhan o'r llwybr yn wybyddus i blant y fro, oherwydd gellid 'clywed' sŵn gwag o dan y ffordd ger bwthyn Tŷ Coch Hir Bach, lled dau gae o Ben y Gaer. Ond er dyfal chwilio yn adfeilion y ddwy gaer, ni ddaeth unrhyw un o blant y fro o hyd i geg y llwybr!

Llwybr neu Ogof Dolbadarn

Mae traddodiad yn adrodd i herwr o'r enw Ap Rhys ddefnyddio Castell Dolbadarn yn y bymthegfed ganrif fel canolfan iddo ef a'i ysbeilwyr. Byddent yn cyrchu mor bell â thiroedd Môn. Yno, yn ôl yr hanes, y bu ymladdfa waedlyd rhwng herwyr Ap Rhys a milwyr y brenin. Lladdwyd llawer o'r herwyr, ond daliwyd Ap Rhys a'i anfon i garchar Biwmares. Fe'i dedfrydwyd i farwolaeth ond ar y noson cyn ei ddienyddio, breuddwydiodd prif swyddog y carchar fod y castell ar dân. Rhuthrodd i'r gell lle carcharwyd Ap Rhys — ond roedd yr herwr, rywsut neu'i gilydd, wedi dianc. Bu'n alltud ar y Cyfandir am weddill ei oes yn ôl yr hanes.

Yn dilyn y ddihangfa o'r carchar ym Miwmares aeth mintai o filwyr i Gastell Dolbadarn i'w archwilio a chafwyd yno drysorau gwerthfawr o aur ac arian. Dywedir fod gorchymyn brenhinol wedi ei roi i ddinistrio Castell Dolbadarn wedi hynny rhag iddo fod yn lloches i herwyr a lladron eraill.

Ond roedd yn ymddangos fod y cof am Ap Rhys yn parhau. Doedd y milwyr ddim wedi darganfod y cyfan o'i ysbail a thyfodd y gred fod mwy o drysorau cudd mewn ogof neu lwybr tanddaearol a arweiniai o'r castell i'r creigiau ar lannau Llyn Peris.

Mae'n amlwg fod y goel yn gyffredin ymhlith chwarelwyr Dinorwig. Byddai llawer ohonynt yn honni y gellid gweld y fynedfa i'r llwybr tanddaearol islaw dyfroedd Llyn Peris wrth graffu ar draws y llyn o'r ponciau ar lethrau Elidir. Pan oedd y gwaith cloddio anferthol yn digwydd yn ystod adeiladu Gorsaf Bŵer Dinorwig bu'n rhaid gwagio holl ddŵr Llyn Peris — ond doedd dim golwg o unrhyw ogof na llwybr tanddaearol yn y creigiau o dan Gastell Dolbadarn.

Mae coel arall yn adrodd fel y bu i saer maen o Bentre Castell ddarganfod yr ogof a'r trysor o'i mewn; trysor a'i galluogodd i ffarwelio am byth â'i gŷn a'i forthwyl!

(Mae'n ddiddorol nodi yn y cyswllt hwn fod y coelion am lwybrau tanddaearol yn parhau. Yn ystod cyfnod adeiladu Gorsaf Bŵer Dinorwig cloddiwyd tunelli o greigiau o grombil Elidir er mwyn cysylltu Llyn Marchlyn a Llyn Peris fel bod dŵr o'r naill yn cael ei ollwng i'r llall i greu trydan. Roedd y si ar led drwy'r ardal fod mwy o lwybrau tanddaearol nag oedd eu hangen wedi eu tyllu o dan Elidir. Y gred gyffredinol oedd mai lloches i ddyfeisiadau cudd oedd eu pwrpas. A dyna hen goel y trysor cudd yn cael ei haileni!)

Llwybr y Torgochiaid

Mae'r torgoch yn bysgodyn unigryw i rai o lynnoedd mynyddig gorllewin a gogledd Prydain. Fe'i ceir mewn nifer o lynnoedd yn Eryri. Credir i'r pysgodyn gael ei ddal yn y llynnoedd yn dilyn Oes yr Iâ ac oherwydd hynny iddo ddatblygu'n wahanol.

Dyna sydd i'w gyfrif am y ffaith fod pymtheg math gwahanol o'r torgoch yn cael eu cydnabod ar un cyfnod.

Roedd y torgoch i'w gael yn llynnoedd Padarn a Pheris (Padarn yn unig bellach ers adeiladu Gorsaf Bŵer Dinorwig) ac yr oedd traddodiad cryf fod llwybr tanddaearol o'r llynnoedd hyn i Lyn Cwellyn yn Nyffryn Gwyrfai ac ymlaen wedyn i Lyn Cwm Silyn yn Nyffryn Nantlle, ac mai'r torgochiaid yn unig oedd yn gwybod am ei fodolaeth. Dyna eglurhad pobl ers talwm ar sut roedd y pysgodyn i'w gael mewn mwy nag un llyn, ond nid mewn unrhyw afon.

Mae'r goel hon yn cael ei chadarnhau yn *Holiadur y Torgochiaid*, a gyfansoddwyd gan Humphrey Owen ac a atebwyd gan Dafydd Ddu Eryri. Fe'i cyhoeddwyd yn y *North Wales Gazette,* Chwefror 1809. Yn ôl yr *Holiadur* roedd tymor pysgota'r torgoch yn llynnoedd Llanberis yn dechrau yn Nhachwedd ac yn gorffen ar ddiwedd Rhagfyr. Roedd y tymor yn Llyn Cwellyn yn dechrau yn Ionawr ac yn parhau am fis. Dywedir hefyd mai pysgod o'r un rhywogaeth oedd torgochiaid y tri llyn. Dyma 'gadarnhau' yn answyddogol fod y torgochiaid yn ymfudo o un llyn i'r llall. Fel roedd y pysgod (erbyn diwedd Rhagfyr) yn dod yn ymwybodol eu bod yn cael eu hela roeddent yn ymfudo ar hyd y llwybr tanddaearol i Gwellyn — yn barod ar gyfer dechrau'r tymor pysgota yno!

Unwaith eto, mae'r ateb i'r ymholiad ynglŷn ag ym mha lyn y gwelwyd hwy gyntaf yn cadarnhau'r hen goel: 'Dywed llafar gwlad iddynt ymddangos gyntaf yn Llynau Llanberis, yna yng Nghwellyn, ac yn olaf yn Llyn Cwm Silyn; a thybid gynt fod cysylltiad tanddaearol o'r naill i'r llall'.

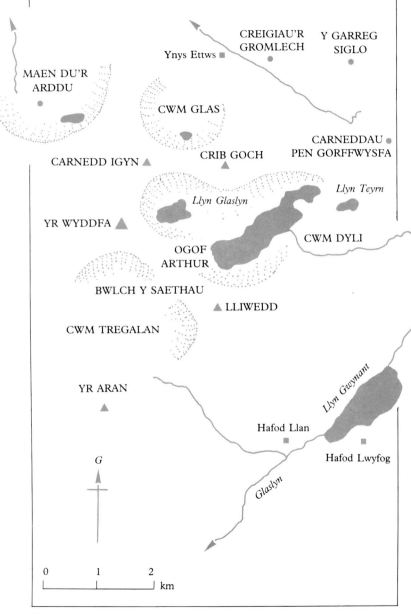

Map o ardal yr Wyddfa i ddangos y safleoedd sydd â chysylltiadau ag Arthur a'r Tylwyth Teg

CREIGIAU'R GROMLECH

Y GARREG SIGLO

Ynys Ettws ■

MAEN DU'R ARDDU

CWM GLAS

CARNEDDAU PEN GORFFWYSFA ●

CRIB GOCH ▲

CARNEDD IGYN ▲

Llyn Teyrn

Llyn Glaslyn

YR WYDDFA ▲

CWM DYLI

OGOF ARTHUR

BWLCH Y SAETHAU

▲ LLIWEDD

CWM TREGALAN

Llyn Gwynant

YR ARAN
▲

Hafod Llan ■

Hafod Lwyfog ■

G

Glaslyn

0   1   2
|___|___| km

56

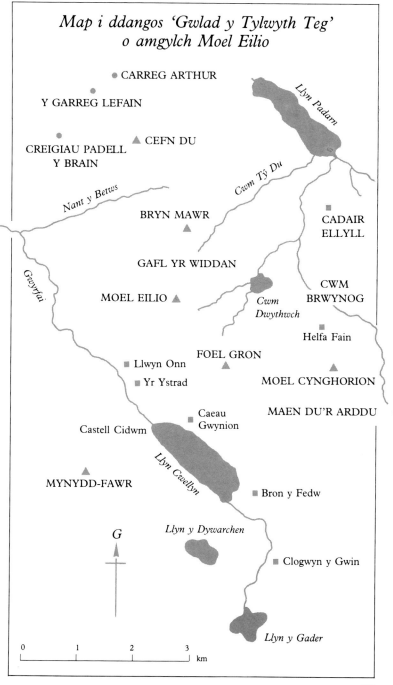

Map i ddangos 'Gwlad y Tylwyth Teg' o amgylch Moel Eilio

CARREG ARTHUR

Y GARREG LEFAIN

Llyn Padarn

CEFN DU

CREIGIAU PADELL
Y BRAIN

Nant y Betws

Cwm Tŷ Du

BRYN MAWR

CADAIR
ELLYLL

GAFL YR WIDDAN

Gwyrfai

MOEL EILIO

CWM
BRWYNOG

Cwm
Dwythwch

Helfa Fain

FOEL GRON

Llwyn Onn

Yr Ystrad

MOEL CYNGHORION

MAEN DU'R ARDDU

Caeau
Gwynion

Castell Cidwm

Llyn Cwellyn

MYNYDD-FAWR

Bron y Fedw

G

Llyn y Dywarchen

Clogwyn y Gwin

Llyn y Gader

| 0 | 1 | 2 | 3 |
km

57

Map i ddangos safleoedd yn ardal yr Elidir

MOEL-Y-CI

FFYNNON
CEGIN
ARTHUR

RHIWLAS

MOEL RHIWEN

FFYNNON
CHWERTHIN?

CARNEDD
Y FILIAST

Llyn Marchlyn
Bach

Caledffrwd

Llyn
Marchlyn
Mawr

Y MAEN GWASTAD

LLAM HEDI

Llyn Padarn

CRAIG
YR UNDEB

OGOF ARTHUR

ELIDIR FACH

ELIDIR

MYNYDD
PERFEDD

CASTELL DOLBADARN

Llyn Peris

LLECHI LLYFNION

CADAIR ELLYLL

CARREG NODDYN

FFYNNON
Y SANT

G

| 0 | 1 | 2 | 3 | km |

58

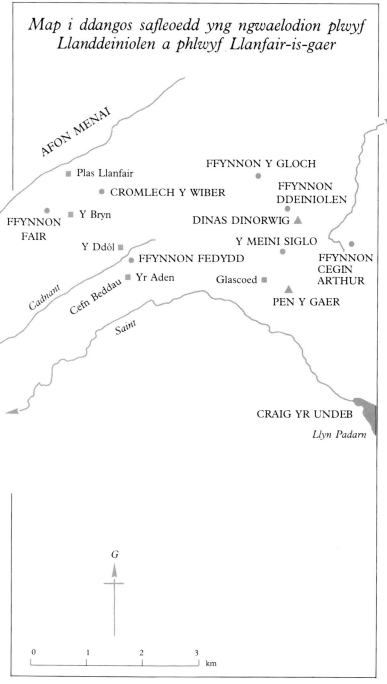

Map i ddangos safleoedd yng ngwaelodion plwyf
Llanddeiniolen a phlwyf Llanfair-is-gaer

AFON MENAI

Plas Llanfair

FFYNNON Y GLOCH

CROMLECH Y WIBER

FFYNNON
DDEINIOLEN

FFYNNON
FAIR

Y Bryn

DINAS DINORWIG

Y Ddôl

Y MEINI SIGLO

FFYNNON FEDYDD

FFYNNON
CEGIN
ARTHUR

Cadnant

Cefn Beddau

Yr Aden

Glascoed

PEN Y GAER

Saint

CRAIG YR UNDEB

Llyn Padarn

G

0   1   2   3
                                        km

Mynegai

Enwau lleoedd a safleodd ym Mro Peris

Enwau personol